Hans Christian Andersen

AN T-ISEAN
GLAS

*

♥ Do Lily ♥

*

ORCHARD BOOKS
96 Leonard Street
London EC 2A 4RH
Orchard Books Australia
14 Mars Road, Lane Cove, NSW 2066
A' chiad fhoillseachadh am Breatainn 1997
© Ian Beck1997
Tha Ian Beck a' dleasadh a chòraichean mar dhealbhaiche air an obair seo
a rèir Achd Dlighe-sgrìobhaidh, Dealbhachadh agus Peutant,1988.
Gheibhear catalog clàir CIP airson an leabhair ann an Leabharlann Bhreatainn.
Clò-bhuailte anns a' Bheilg
LAGE/ISBN 0 86152 158 7

Air fhoillseachadh ann an 1997 le Acair Earranta,
7 Sraid Sheumais, Steòrnabhagh, Eilean Leòdhais.
A' Ghàidhlig le Norma Nicleòid
© na Gàidhlig Acair Earranta 1997
Clò-bhuailte anns a' Bheilg
Chuidich Comhairle nan Leabhraichean
am foillsichear le cosgaisean an leabhair seo.

Hans Christian Andersen

AN T-ISEAN GLAS

Air ath~innse agus a dhealbhadh le

IAN BECK

Uaireigin bha tunnag ann, aig an robh seachd iseanan beaga. Bha sia dhiubh bog agus molach agus buidhe, agus chanadh iad, "Cuac."

Bha an seachdamh isean gu math eadar-dhealaichte. Bha esan glas agus sprodach le amhaich fhada, agus cha chanadh e càil ach "Honc."

Chanadh na h-iseanan eile gu robh e
'grànda'. Dh'aindeoin 's dè a dhèanadh e,
cha chluicheadh na h-iseanan còmhla ris.

Chrathadh a mhàthair a ceann. "Cuac. Bheil
thu cinnteach gur ann leamsa a tha thu?" chanadh
i. "Cuac, 's e tunnag annasach a th' annad."

Aon là shnàmh iad gu lèir a-null a chèilidh air tunnagan a bh' air taobh thall na h-aibhne. Bha an t-isean glas mar a b' àbhaist leis fhèin às an dèidh.

Thòisich na tunnagan mòra eile a' sèideil ris agus ga bhìdeadh. "Gabh air falbh," ars iadsan. "Cha toigh leinn thu; chan e tunnag cheart a th' annad."

Ach cha b' urrainn don isean bheag bhochd càil a ràdh ach "Honc."

An oidhche sin, agus na tunnagan eile nan cadal, shnàmh an t-isean glas air falbh agus chaidh e air falach am measg cuilc aig oir an loch.

"Honc, chan eil duine gam iarraidh," ars esan. Thàinig seann chat mun cuairt, "Miao, dè an seòrsa isein a th' annadsa?" dh'fhaighnich e.

"Isean-tunnaig, honc," ars an t-isean glas.
"Mmmm, miao, isean de sheòrsa annasach,"
ars an cat, agus e cuachail air falbh a lorg
luchainn.

Dh'fhàs an aimsir na b' fhuaire ach dh'fhuirich an t-isean glas leis fhèin aig oir an loch.

Aon là brèagha, chunnaic e eòin àlainn gheala le amhaichean fada a' sgèith os a chionn. "Honc," dh'èigh e riutha, "càit a bheil sibh a' dol?"

"Fada gu deas far a bheil e blàth," dh'èigh iad air ais. "Tugainn còmhla rinn."

Ghluais an t-isean glas air uachdar an uisge. "Fuirichibh rium!" ars esan le honc. Ach cha robh e deiseil airson sgèith fhathast, agus chum na h-eòin gheala orra a' sgèith gu fada fada air falbh.

Cha b' fhada gus an tàinig an geamhradh.
Thàinig an sneachd agus bha deigh air an loch.
Cha robh màthair aig an isean ris an laigheadh e
dlùth airson cumail blàth.

"Honc," ars esan ris fhèin, "nach mi tha truagh."

An là bha seo dhùisg e agus bha an sneachd agus an deigh air leaghadh, agus bha an saoghal gorm a rithist. Dh'fhairich e làidir agus dh'fheuch e ri sgèith. Bha na sgiathan aige air fàs tron gheamhradh, agus dh'èirich e an-àirde gu furasta bhon loch suas dha na speuran soilleir gorm.

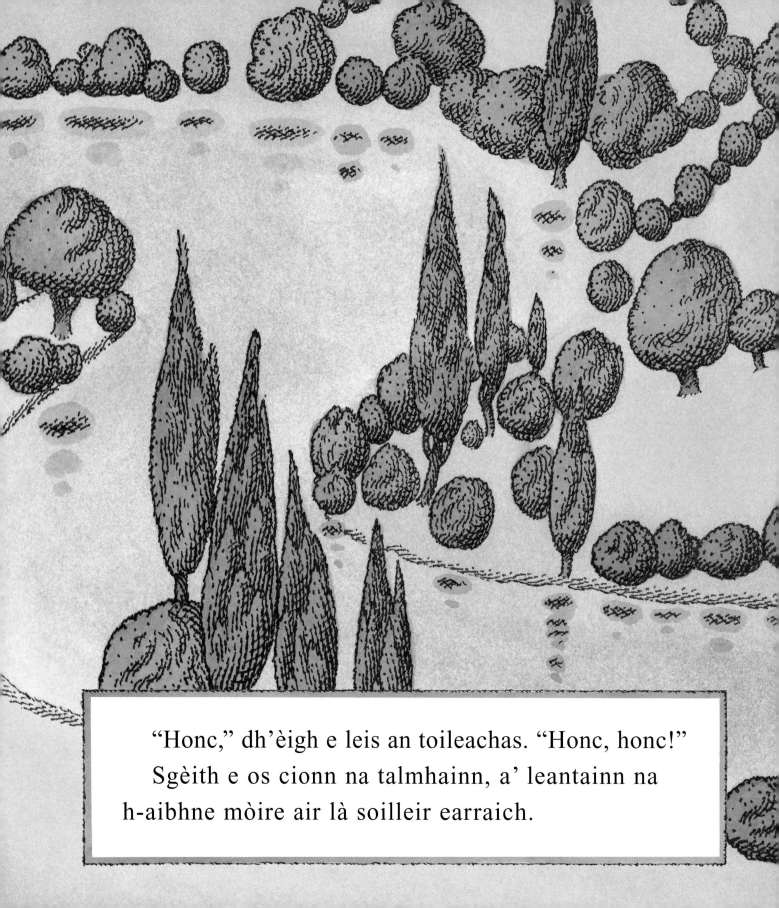

"Honc," dh'èigh e leis an toileachas. "Honc, honc!"
Sgèith e os cionn na talmhainn, a' leantainn na
h-aibhne mòire air là soilleir earraich.

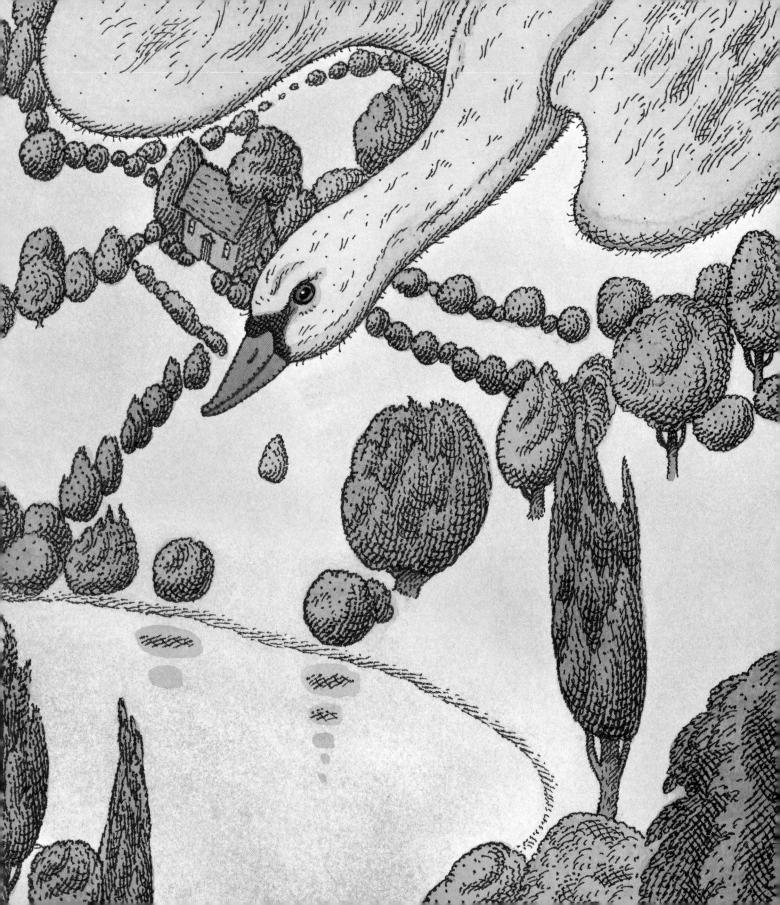

Aon là chunnaic e na h-iseanan àlainn geala a bha air sgèith gu deas aig tòiseach a' gheamhraidh. Sgèith an t-isean glas sìos rin taobh air an uisge a bha a' deàlradh anns a' ghrèin.

"Honc," arsa na h-iseanan àlainn. "Halò, nach snàmh thu còmhla rinn a-bhos an seo. Tha gu leòr ann ri ithe," agus thum iad an amhaichean fada sìos dhan uisge.

"Honc, cò, mise?" thuirt an t-isean glas.
"Snàmh còmhla ribhse? Ach chan eil annamsa ach
isean-tunnaig grànda; chan eil duine gam iarraidh."

Rinn na h-eòin gheala gu lèir gàire. "Chan eil thu grànda, agus chan e isean-tunnaig a th' annad a bharrachd," thuirt iad. "'S e th' annad eala, dìreach mar sinne. Coimhead riut fhèin anns an uisge agus chì thu."

Choimhead an t-isean glas sìos dhan uisge agus chunnaic e fhaileas fhèin an sin.

Bha na h-itean aige a-nis deàrrsach geal gu lèir, bha amhach fhada air, agus gob de dhath an òir le dubh air a bhun agus air a bhàrr. 'S e eala a bh' ann dìreach mar a bha san fheadhainn eile.

Leig e honc gu dòigheil, cha robh diofar leis a-nis nach b' urrainn dha cuac a dhèanamh.

Chruinnich na h-ealaichean timcheall air.

"Fàilt' ort," ars iadsan.

Agus mar sin sgèith an t-isean-tunnaig, a bha a-nis air fàs na h-eala bhòidhich, air falbh còmhla ri na h-ealaichean eile tarsainn air an uisge ghorm, agus bha i dòigheil gu bràth tuilleadh.

"Honc, honc!"

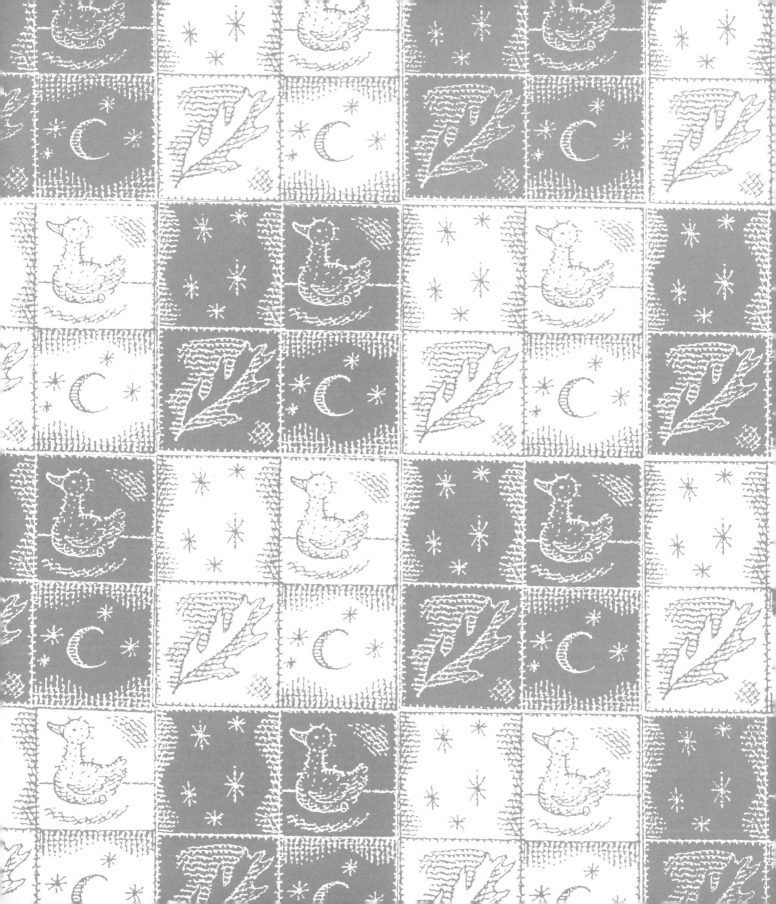